國家圖書館藏·蒙學善本

書言故事大全

第八册

鳳凰出版社

三元及第

瓊林大宴

瓊林大宴

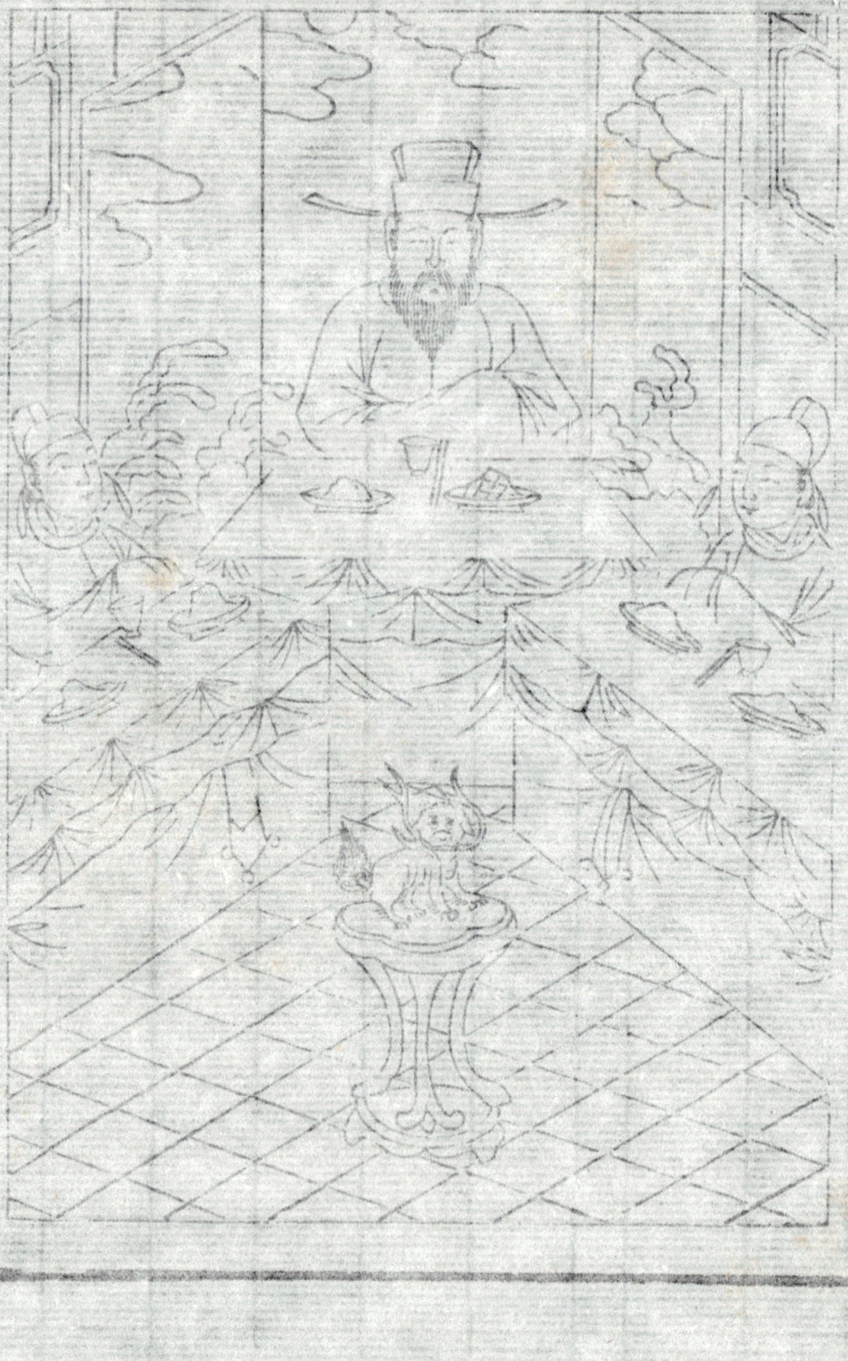

三元及第

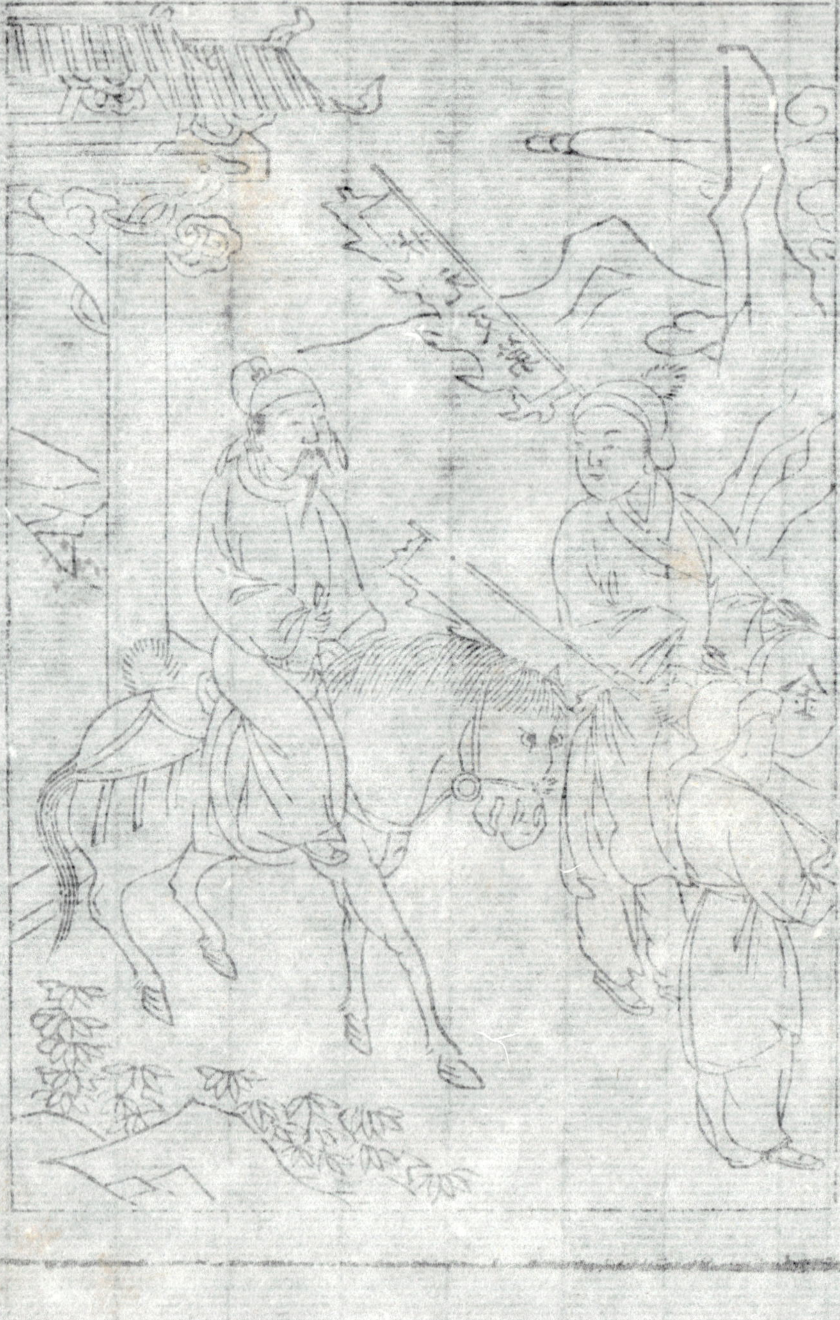

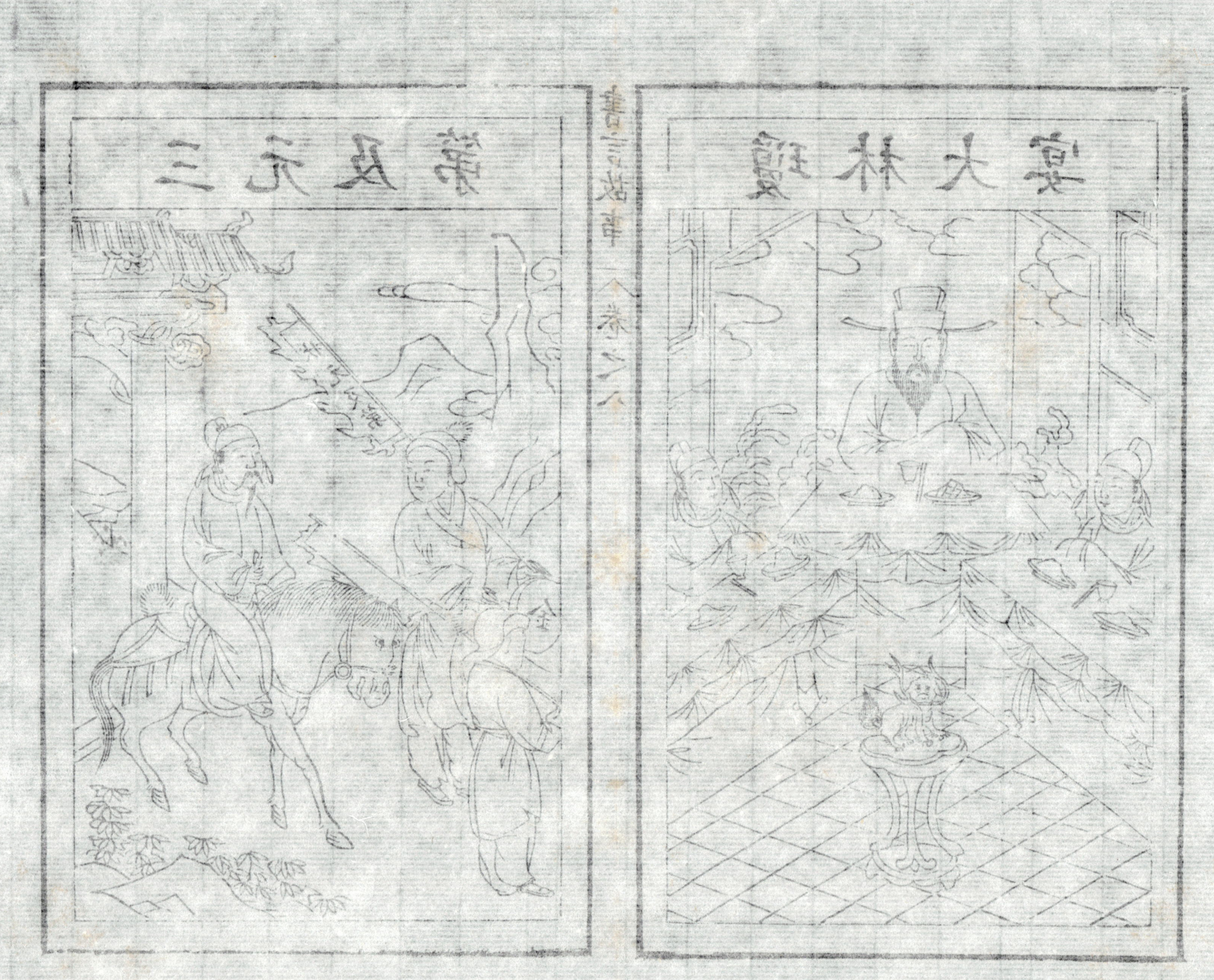

書言故事大全卷之八

廬陵　胡繼宗　集
安成　陳玩直　解

○科第類

賓興

科舉年爲賓興之歲（周禮）地官大司徒周禮周公所作周官六典之書（釋注）周礼六典一曰天官今吏部是也。二曰地官。户部三曰春官。禮部四曰夏官兵部五曰秋官。刑部六曰冬官工部大司徒屬地官卿以鄉三物教萬民而賓興之物猶事也興猶舉也以三事教其萬民教既成則鄉大夫舉其賢者能者以鄉飲酒之礼賓客之獻其書于王一曰六德得於心之謂德智仁聖義忠和智謂達於

事理是非不惑仁謂愛人利物惻怛不忍聖謂明睿通達燭物不遺義謂剛義果斷制事得宜。忠謂盡己之心主於誠實和謂發而中節無所乖戾注云不剛不柔是也二曰六行音幸○行於身之謂行孝友睦婣音因任恤孝謂順於父母友謂和於兄弟睦謂睦於宗族婣謂親于外親任謂信于朋友恤謂周于鄰里鄉黨之貧者三曰六藝有成材謂之藝藝雖技能之末而妙道精義實在其中禮樂射御書數礼謂習于度數之節文所以教之中也樂謂明于声音之高下所以教之和也射謂射法驗其正鵠之中否以觀德行也御謂御法御者執轡立于車上欲其調習不失驅馳之正也書謂書字之体可以見心畫數謂筭數之法可以盡物変

興賢

科詔謂興賢詔興賢若舉孝廉

大比 音彼 科舉年謂大比之秋 以歲時登其民家之衆寡辨其可任者國中自七尺以及六十。在野自六尺以至六十有五皆征之其合者國中貴者賢者能者服公事者老者疾者皆合以歲時入其書此云三年則大比謂大比民數之時也于此合比閭族黨州鄉之所校登書故皆從校之○謂使天下吏簡閱民數及其才物

鄉書 賀發舉榮捧鄉書 上文所注云閭族黨州鄉之所校登書

天府 賀發舉名登天府 周禮地官鄉 即今戶部主國教化教君臣父子夫婦長幼朋友五者之教以馴擾兆民之不順者而使之順也○録尚書周官注 大夫三年則大比 音彼 考其德行 音幸 道藝而興賢者能者 賢者有德行若舉孝廉能者有道藝若舉茂材 鄉老及鄉大夫以禮禮賓之 以礼〻賓用鄉飲酒之礼以礼賢能而与之爲賓客 厥明 讀 鄉老及鄉大夫群吏獻賢能之書于王 厥明謂賓賢能之明日獻書于王獻賢能之書于王以待王之官而使之 王再拜受之 重其賢能也 登于天府 登升也天府掌祖廟之宝者升賢能之書于天府者宝之也

鄉貢進士 請舉稱鄉貢進士 唐選舉志 唐制取士之科多因隋舊。其大要有二。由學館曰生徒。由州縣曰鄉貢皆升于有司而進退之。其科之目有秀才。有明經有進士

槐黄 科舉近謂槐黄逼眼

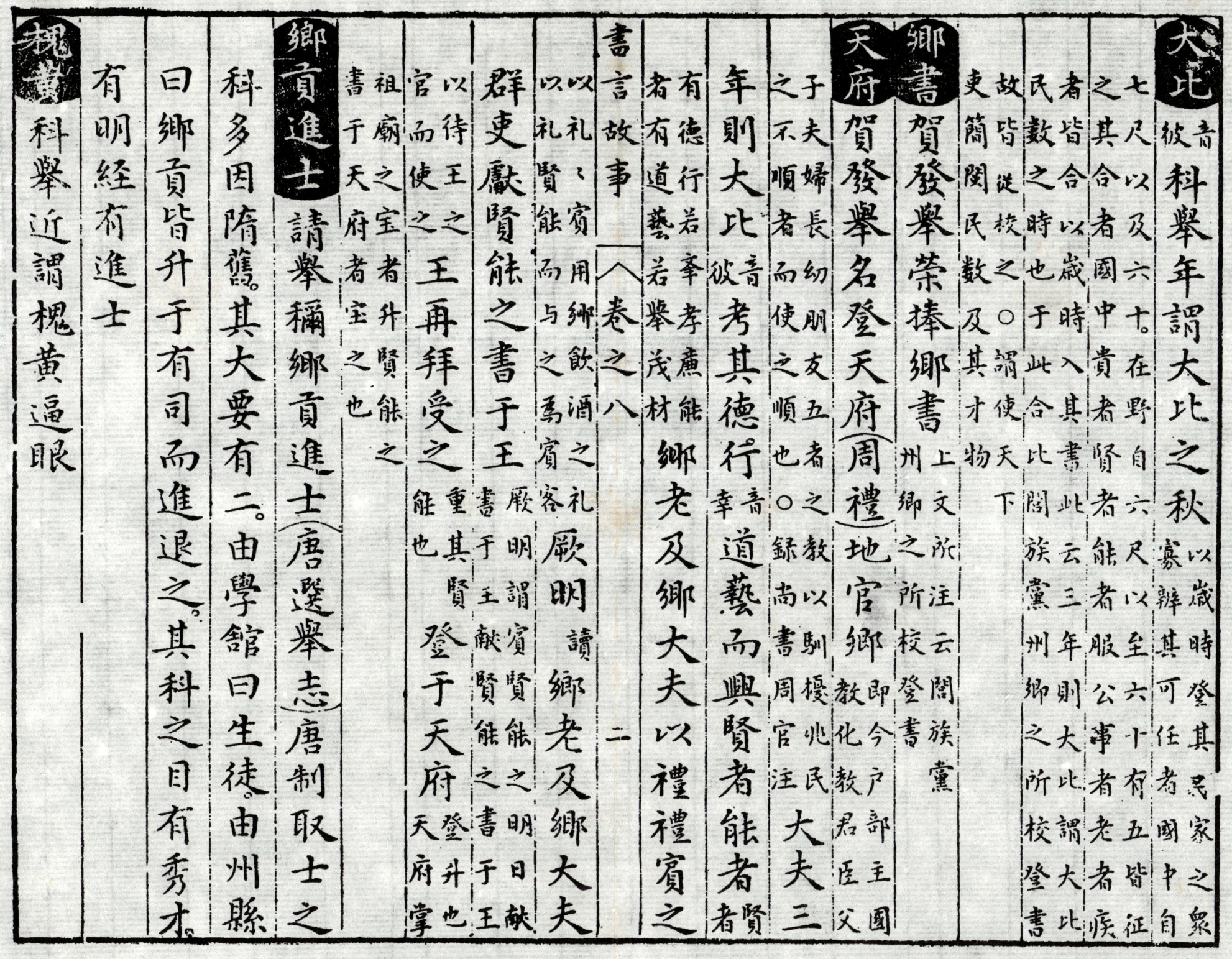

科舉近識總論

有明經有進士

曰鄉貢皆升于有司而進退之。其科之目有秀才、

科多因隋舊。其大要有二。由學館曰生徒。由州縣

鄉貢進士

請舉牒鄉貢進士（唐選舉志）唐制取士之

[illegible]

[illegible]王再拜受之

[illegible]之書于王[illegible]登于天府[illegible]

[illegible]獻賢能之書于王[illegible]鄉老及鄉大夫

書言故事　卷之八　二

有德行道藝者[illegible]鄉老及鄉大夫以禮賓之

三年則大比考其德行道藝而興賢者能者[illegible]大夫三

天府

賢能書登天府（周禮）[illegible]

鄉書

貢舉籍奉鄉書[illegible]

[illegible]

[illegible]

大比

[illegible]科舉年謂大比之秋[illegible]

槐秋（科舉年謂槐秋）踏槐（遯齋閑覽）長安舉子。六月後落第者不出京謂之過夏。多借靜坊廟院作文曰夏課時語曰槐花黃舉子忙唐人翁承讚槐花詩雨中粧點望中黄勾引蟬聲送夕陽憶昔當年隨計吏（計吏上計簿書之吏漢法郡國每歲遣詣京師上之）馬蹄終日為（去声）君忙（君指槐也言馬蹄之忙蓋為槐黄逼眼而選舉既選舉則詣京師上簿以故忙也）

棘圍（棘音急）就試貢院謂鏖（於刀切）戰棘圍（通典）（唐杜右編選舉類篇目）禮部閱試之日。皆嚴設兵衛栫（前去声）棘圍之以防假濫（栫圍也假濫假託泛濫閱試之日用兵嚴衛以棘剌圍之以防假才乃濫入者）

徹棘　折榜曰徹棘。和凝（五代時鄆州人）知貢舉（知貢舉考官也）為時進士喜為諠譁以動主司（主司考官也）放榜則圍之以棘。閉省（生上声）門絶人出入凝徹棘圍（徹除去也）開省門而士肅然無譁

同年　同榜人曰同年

座主　稱所見取之試官曰座主

關節　行賄請求時官曰關節（李肇國史補）曰進士為

去声時所尚久矣由此出者終身爲文人其通稱爲秀才。投刺音次鄉貢得第曰前進士刺名也投刺投名也互相欽敬曰先輩俱捷前入声曰同年俱捷皆中也有司曰座主座主見上節造請權要曰關節造請請託有權勢當要路者而爲託之故曰關節

朱衣點頭 文字中去声選謂朱衣點頭（宋朝音潮）歐陽脩知貢舉歐陽脩廬陵人謚文忠公考試卷常覺坐後一朱衣人點頭然後文入格句不爾則無復與考不尔猶言不然者謂朱衣若不點頭其文不入格不復与考其文始疑侍吏始疑朱衣人爲侍立之吏及回視一無所見因語音御同列三歎語告也告以朱衣點頭之故而三發嘆息之辞嘗有句云文章自古無憑據惟願朱衣一點頭（又詩）青夜夢中糊眼處朱衣暗裹點頭時

鶚薦 賀發舉榮膺鶚薦

禰薦 祢音係○詳見下節

鶚表 鶚表橫飛（後漢）禰衡始弱冠去声孔融愛其才與爲友祢衡未滿二十而融已五十爲忘年交上音賞表薦之曰鷙音至鳥累音呂百不如一鶚鷙鷙猛鳥搏擊之鳥也鶚鵰鶚也言鷙鳥縱然累百之多不如一鵰鶚耳使衡立朝音潮必有可觀（古詩）鶚表薦時來衆

彥

破天荒 謂此地方有科名者為破天荒。荊州每歲應舉人。多不成名為天荒解皆去声下同劉蛻音稅以荊州解及第時號破天荒

鹿鳴燕 郡邑燕新舉人為鹿鳴燕〈詩〉鹿鳴小雅鹿鳴之篇燕群臣嘉賓鹿鳴之詩燕嘉賓詳見前第七卷餞送類拜嘉注內懷牒自列州縣懷牒貢院內自從列置州縣編定席舍試已音以○考試了畢長音掌吏郡府官之長以鄉飲酒禮設賓主陳俎豆歌鹿鳴之詩韓愈贈張籍〈詩〉州家舉進士選試繆所當言已繆當考官馳辭對我策章句何煒音偉煌煒煌光也相去声公朝音潮服立相公董責也工席歌鹿鳴工席樂工席上禮終歌已闋音闕闋樂終也相送拜于庭

桃李 考官所取門生比桃李〈唐〉劉禹錫寄王侍郎放榜〈詩〉禮闈新榜動長安禮闈即礼部長安今陝西是也九陌人人走馬看長安有八街九陌一日聲名徧天下滿城桃李屬春官春官礼部官也

淡墨 賀中去声省省上声榜淡墨榮書〈摭言〉摭音只進士榜粘黃紙四張以淡墨氈書禮部貢院四字於榜首

粘黃紙四張以氈淡墨袞書禮部貢院四字於榜首

淡墨 賀中第者上榜淡墨榜書【註】以淡墨書

春官 禮部春官謂禮部也

走馬看花 衙花陌一日看盡天下滿城桃李入廉

桃李 榜【註】禮闈新榜動長安 去禮闈今唐西禮部也 春官所取門生比桃李【唐】劉禹錫王侍郎放

相送拜于庭

相公事也 上庠 飲鹿鳴 上庠上庠禮學已闈

謝對鼓策重句何韓 諱皇 扎禪也 相公朝廷

書言故事 〈卷之八〉 七

僉謂張籍【註】五家舉進士選故謬所當

長官之道以鄉飲酒禮設賓主陳俎豆歌鹿鳴之詩

縣傳州牒 直以鄉試 內 自鹿鳴 列 送 試已 畢

辭臣嘉賓 肴 之 集 鄉 詩 事 以注見 前 本

鹿鳴燕 部已燕新舉人為鹿鳴燕【註】鹿鳴

解及第時號破天荒 下詔 同年 劉蛻 以荊州

舉人多不成名 號天荒解

破天荒 謂此地方有科名者號破天荒 荊州每歲薦

賈公談錄李紓音於侍郎放舉人命筆吏書榜未及填禮部貢院字得疾令去声吏士褆長上声亦善書令終平声其事值褆醉以氈筆染不能加墨迨明方覺字體濃淡相間去声反致其妍自後遂為故事

泥金 及第附書報家泥金喜信

天[illegible] 新及第以泥金帖字附家書為報謂之喜信

虎榜 賀及第謂標名虎榜唐歐陽詹字行周舉進士與韓愈李絳崔群王涯音宜馮宿庾承宣聯音連第皆天下選時稱龍虎榜數人聯第如龍如虎故曰龍虎榜

金榜 登科謂金榜掛名西京雜記崔紹暴卒復生見冥間列榜書人姓名將去声相去声金榜其次銀榜州縣小官並是鐵榜

造榜天 折榜時謂造榜天唐陸扆音以攻文辭敏速若注射若注水射箭之疾其舉進士時方過句幸而六月榜出至是甚暑他學士輒戲曰造榜天也造又立也蓋譏扆進非其時

勸駕 郡守舉送曰勸駕漢高帝詔賢士大夫有肯從我遊者吾能尊顯之其有意稱明德者必身勸為

之駕称明德称學明德尊之士勸駕有賢能者郡守自往勸勉令至京師車駕迎之故曰勸駕

【著鞭】著張入声賀人赴省生上声著鞭雲路（東晉）劉琨音昆與祖逖汀入声為友與親故書曰吾枕音震戈待旦枕戈以戈貼頭而睡也志梟音驕逆虜言志氣欲擒逆虜殺而常恐懸其首梟令以示衆也祖生先去声吾著鞭恐祖逖先要其功林傑五歲吟詩羽客已音以登雲路去

【禮部貢舉】始於唐玄宗（唐選舉志）玄宗開元二十四年考功員外郎為去声貢舉詆訶考功吏部有舊考功員外郎分掌考選科詆毀誹謗也訶怒也當時李昂為員外郎與貢舉為進士李權所詆帝以員外望輕讀遂移貢舉於禮部以侍郎主之望輕猶言賤小也舊制考功員外郎掌試舉人由是被詆毀之後朝議以考功位輕不足以臨多士次年遂以礼部侍郎掌焉禮部選士自此始

【南宮】赴南省生上声下並同謂赴南宮（唐）開元中謂尚音常書省為南省門下中書為北省南宮禮部也（唐）舊說禮部郎中掌省中文翰謂之南宮舍人

【春官】赴省生上声謂赴春官（周禮）春官今之礼部官也宗伯掌禮春官卿主邦礼治天神地祇人鬼之事和上下尊卑等列春官於四時之序為長故其官謂之宗伯。錄尚書周官篇之注（唐）武德初高祖年號謂禮部曰儀曹龍

朔中(高宗年號)改曰司禮武后改曰春官

貢士殿試 始於唐則天(則天大唐高宗后也名武曌儀高宗崩照儀廢中宗為廬陵王而稱帝是為則天武氏)(唐選舉志)武后天授元年二月辛酉策貢士於洛城殿貢士殿試自此始

臨軒策士 始於神宗朝(音潮)試策(宋)熙寧三年呂公著知貢舉寀奏曰天子臨軒策士用詩賦非舉賢求治之意今廷試乞以詔策諮(音姿)訪治道(諮訪問也 呂公著寀奏乞下詔令舉人荅策問其治天下之道)自是上御集英殿試乃以策問(是年葉祖治狀元○策士之義詳見此卷下桂枝之下)

試進士沿革(沿從舊也革者革其舊而新制之也)開寶六年(開宝宋太祖年號)因徐士廉訴知舉李昉不公(不公謂其取科名有私)帝御講武殿覆(音福)試親試自此始。及第人皆賜綠袍鞋笏。賜宴賜詩自興國二年呂蒙正榜始(興国宋太宗年號)分甲次賜同進士出身。自興國八年宋白王世則榜始。唱名自雍熙二年梁顥榜始(唱名即臚傳 詳見下節)封印試卷自咸平三年始(咸平真宗年號)置謄錄院封彌官覆考編排皆自祥符八年間始(祥符即真宗大中祥符)唐制禮部試舉人夜以三鼓為限(舉人繳場闗燭至三更鼓乃罷)(宋朝)學

部試舉人夜以三鼓為限 [illegible] （宋朝）

春榜排自祥符八年開始 [illegible] 唐制

試卷自咸平三年始 [illegible] 置謄錄 [illegible]

始唱名自雍熙二年 [illegible]

甲次賜同進士出身自興國八年宋白王世則 [illegible]

賜宴賜詩自興國二年呂蒙正 [illegible]

殿試自此始及第人 [illegible]

御試 [illegible] 試觀自此始及第人 [illegible]

因徐士廉訴知舉李昉不公 [illegible] 開寶六年

書言故事 卷之八

[illegible] 賜 [illegible] 下 [illegible] 之 [illegible]

[illegible] 天下之人皆以 [illegible] 自是上御集英殿試 [illegible] 以

[illegible] 之意令 [illegible] 以 [illegible] 策 [illegible] 直 [illegible] 非 [illegible] 策

知貢舉蔡 [illegible] 曰天子臨軒策士用 [illegible] 非 [illegible]

臨軒策士

[illegible] 始於神宗朝 [illegible] 策（宋）熙寧三年 [illegible]

[illegible] 士始於洛陽殿 [illegible] 士 [illegible] 自此始

貢士殿試

[illegible] 武后 [illegible] 是唐則天 [illegible] 天授元年二月

[illegible] 改曰 [illegible] 大 [illegible] 改曰春官

由白晝不復繼燭（出宋朝事實）

臚傳（臚音芦）拆榜唱名曰臚傳（臚鴻臚寺韋昭曰鴻大也臚陳序也欲以禮大陳序賓客也○蘇林曰臚者上傳語告下也）集英殿唱第日皇帝臨軒宰臣進三名卷子讀于御按前。用牙篦點讀畢宰臣拆視姓名則曰某人閤門則承之以傳于階下。衛士凡六七人。皆齊聲傳其名而呼之謂之臚傳。亦謂遶殿書閤門實鴻臚卿

接敕黄敕黃用蜀中麻紙為之。兩幅連粘（音年）大字書某人等宜賜某等科第。其可漏子又長於尺黃一

尺（可漏子封皮也）自狀元至第二甲終皆曰宜賜進士及第自第。三甲至第四甲皆曰宜賜進士出身。第五甲則曰宜賜同進士出身一甲唱名畢（讀）則往西廊（讀）取敕黃執之（句）甲內人齊則謝恩

賜袍笏唱名後狀元獨班謝恩第二名第三名次為一班便賜食相（去声）身為袍各設位賦詩以荅皇恩唱第五甲畢士人皆執勑黃再拜（句）殿上傳曰賜進士袍笏積於殿外南廡（音武）（廡堂下也廊下之東西廡也）出第取之（積聚立於殿外南廡俟袍笏出而爭取之）皆不暇脫白襴加綠袍

取之[illegible]下[illegible]

進士[illegible]外[illegible]下[illegible]

唱第五甲準士入階[illegible]年[illegible]上傳口號

一班便賜食相[illegible]身為龍各[illegible]位謝以次皇恩

鼎甲 唱名後狀元總班謝恩第三名次為

臚唱 鼎甲黃敕之[illegible]甲內入齊則謝恩

甲則曰宜賜同進士出身一甲唱名畢[illegible]則往西

第自第三甲至第四甲皆曰宜賜進士出身第五

又[illegible]自狀元至第二甲[illegible]皆曰宜賜進士及

其人筆宜賜其科第其可篇十又表於只黃一

放榜 黃用蜀中麻紙為之兩面連粘大字書

京諸達殿書閣門實鴻臚

進士凡六七人[illegible]其名而字之[illegible]臚傳

臣旅視姓名則曰某入聞門則承之以傳于階下

筆臣進三名卷于讀卷[illegible]官用[illegible]準

臚傳 [illegible]

由心畫不復[illegible]事實[illegible]

於上焉薫賜淡黃綃衫一領淡黃帶子一條綠羅公服一領笏一面（笏音忽笏者忽也品官所執有事書其上以備忽忘）

狀元局　題名小録以別試所為之大魁入局（大魁狀元也）點差局中職事官（句）諜請掌器掌酒果監門之屬三狀元常宿于局中月餘而罷局局中所幹專以題名小録為事（題名小録每名備書鄉貫三代名諱官爵年紀及授其官卷端具載監考戢事官姓名及官題共為一卷）

拜黃甲　黃甲者由省（生上声）中降下唱名畢以此升甲之人附于卷末用黃紙書之謂之黃甲是日貢院設香按于庭下狀元引五甲内士人拜香按禮部亦遣官來賛導（賛導者相助引導行禮以拜黃甲）置黃甲于按中而望闕引拜

叙同年　拜黃甲畢人列兩廊四十以上東廊四十以下西廊内擇一人最年高者上（音賞）堂大魁拜之年高者荅拜（大魁狀元也）又擇一人冣年少（去声）者上堂拜大魁大魁亦荅拜而退是亦謂之叙同年

瓊林宴　朝（音潮）廷賜宴及第人謂瓊林宴（宋）太平興國八年（太平興國宋太宗年號）宋白等並賜及第（句）賜宴始就

八年太宗太平興國宋白等並賜及第[illegible]

瓊林宴 朝廷賜宴及第人謂之瓊林宴（宋）太平興國[illegible]

大魁大魁上[illegible]拜而退是亦謂之魁同年[illegible]

馬蒼答拜[illegible]又擇一人少年者上堂拜[illegible]

下西廊內擇一人最年長者上堂大魁拜之[illegible]

叙同年 拜黃甲畢入列西廊四十以上東廊四十[illegible]

而望闕引拜

亦豈宣來賢導[illegible]

謾香拂于庭下狀元引五甲內士人拜香拂[illegible]

之入附于卷末用黃紙書之謂之黃甲是日[illegible]

拜黃甲 晉甲者道[illegible]中降下唱名畢以次拜甲[illegible]

[illegible]

題名小錄[illegible]事[illegible]

三狀元常宿于局中同條而局中所事[illegible]

狀元局 點差局中職事官[illegible]題名小錄以狀元所為之大魁入局[illegible]

公服一領[illegible]一[illegible]

於上司道賜綠黃[illegible]一領綠黃帶子一條[illegible]

瓊林苑後遂為定制

探花宴（探取也）探花使（音事下同）〔秦中雜記〕進士杏園初宴謂之探苍宴差少（去声）俊二人為探花使使徧遊名園若他人先得名花則探花使先被罰也

賜紅綾餅餤（音淡）〔唐〕僖宗幸南內興慶池泛舟（天子至曰幸南內宮禁之內唐有三內西內東內南內曰興慶宮在東內之南興慶池在興慶宮側）方食餅餤時進士在曲江有聞喜宴（曲江前漢武帝造曲江池其水西析修秀士登科賜宴於此謂之聞喜宴）上命御厨衣人數各賜紅綾餅餤（餅餤以紅綾束之）所司以金合（含入声）進（所司其司所掌之人也以金合盛餅進於上前）上命中官馳以賜（中官宦官也）故徐演詩云莫欺老缺殘牙齒曾喫紅綾餅餤来

賜花〔唐〕懿宗開新第宴于曲江乃命折花一金合令（去声下同）中官馳至宴所宣口敕曰便令戴花飲酒無不為榮

進士登科記〔唐〕永徽以前俊秀二科猶與進士並列咸淳以後凡由文學舉于有司者竟集于進士之列（永徽咸淳皆大唐高宗年號）由是趙傪（音叅）刪去俊秀故目曰（目題記名目也）進士登科記（登科記歷科姓名官爵）記之名立始于

名目也 進士登科記 [illegible] 記之名始于

[illegible] 由是 [illegible] 故曰之

咸亨以後凡由文學舉于有司者競集于進士

進士登科記 唐永徽以前俊秀二科猶與進士並列

不為榮

下去同書 中官馳至宴所宣口敕曰便令賞花飲酒無

唐懿宗開新第宴于曲江乃命折花一金合令

賜花 [illegible] 來

[illegible] 上命中官馳以賜 [illegible] 故徐演詩云莫

[illegible] 所司以金合 [illegible] 入進 [illegible]

[illegible] 上命御廚來人數 [illegible]

[illegible] 時進士在曲江有聞喜宴 [illegible]

[illegible]

賜紅綾餅餤 唐僖宗幸南內與 [illegible]

園若他人先得名花則探花使被罰也

謂之探花宴 [illegible] 少俊二人為探花使遍游名園

探花宴 [illegible] 秦中歲時記 進士杏園初宴

[illegible]

題名鴈塔　古今詩話　唐韋肇及第偶於慈恩寺鴈塔題名慈恩西京外郭東南三橋皇城之東進業坊隋无漏寺地貞觀二十年高宗在春宮報其母文德皇后為之祈福即地建寺故名慈恩○鴈塔之故出佛經佛在西域時有比丘見鴈飛空乃念曰摩訶薩埵可充我費鴈乃墮地佛曰此鴈王也不可食乃立鴈塔後人效之遂成故事自神龍以来神龍唐中宗年號杏園宴後於慈恩寺鴈塔下題名同年中推音吹善書者紀之他時有將去声相去声則朱書之

龍門　禹門　唐人比進士登科為登龍門　淮南子　禹鑿龍門昔堯之治天下有九年之洪水舜牽禹治之於是開九州之道陂陪九州之澤平治九州之山浮舟自積石至于龍門而鑿之龍門龍門山也地志在馮翊夏陽縣今河中府龍門縣也及第詩禹門三級浪三級二層也

三秦記　龍門讀魚登者化為龍　水經　鱣音占鯉出鞏音拱穴鱣似龍色黃三月上音賞渡龍門得渡為龍士人中舉者得為官若魚渡龍門得為龍否則點額而還魚不得渡跳躍之間點傷其額若士人不中舉而還　杜贈鮮于京兆詩　龍門客又新鮮于仲通既為京兆尹杜甫引漢李膺龍門事以贈仲通褒仲通李若李膺也夫李膺性簡亢无所交接有被其容接者名為登龍門

龍頭 狀元曰龍頭（宋朝）音潮梁顥狀元及第年八十二謝啓云上啓謝恩晧上声首窮經少上声伏生之八歲伏生名勝濟南人治尚書漢文時年九十口以傳授二十九篇青雲得路多太公之二年太公姜呂尚也年八十猶窮困魚釣於渭水周文王出獵遇之載与俱歸立為師（謝）恩詩天福三年來應去声舉天福後晉高祖年號雍熙二載音宰始成名雍熙宋太宗年號天福三年以後歷後漢後周至宋雍熙二年然則凡四十八年矣饒他白髮巾中滿且喜青雲足下生觀榜更無朋輩在到家惟有子孫迎也知年少音邵登科好争柰龍頭屬老成

鰲頭 大魁魏占去声鰲頭（列子）龍伯之國有六人一釣而連六鰲勸駕詩勸駕詳見此卷前勸駕之下高文俱合入声在鰲頭言文之高者俱合中大魁大魁占鰲頭為狀元也

龍標 （錦標）大魁首奪龍標（唐）盧肇黄頗音坡皆宜春人同舉句郡守獨餞頗明年肇狀元及第句歸讀郡守接甚厚延肇觀競音慶渡競逐也競渡者屈原端午日死於汨羅江人以舟救之競渡是其遺俗今之划龍舩是也（釋注）汨音密划音華向道是龍剛不信果然奪得錦標歸守大慚

摘髭 音茲言取科第之易音意（韓）愈寄崔立之詩（連）年取

科第若摘頷底髭

釋褐解褐 言解釋布褐而服藍袍也褐毛布賤者之服今人呼為毛段釋褐謂解釋去賤服而穿看貴者之服也（宋朝會要）興國二年太宗年號始賜呂蒙正等釋褐後遂為例狀元皆謝恩曰賜祥符中始及第日賜之真宗改大中祥符

取青 取青如拾芥易音意耳（漢）夏遐上声侯勝曰夏侯覆姓士病不明經術言士不能明經術以為病經術苟明取青紫如俛拾地芥耳青紫者上大夫公服也俛低頭也芥草芥也言經術苟明中第取公服如低頭拾地上草芥之易耳

雲梯 及第足躡音業雲梯躡登也（杜）浮雲亦有梯謝靈運登石門高頂詩共登青雲梯

仙桂 及第手攀仙桂（擢桂）擢桂言嘗為禮部侍郎取士如拔擢桂枝（酉陽雜俎）言月桂高五百丈下有一人常斫之創隨滿創斧痕也其人姓吳名剛音剛學仙有過謫令平声伐樹（杜）哀長音掌孫侍御長孫覆姓侍御御史也禮闈曾擢桂禮闈礼部也擢桂言嘗為礼部侍郎即士如拔擢桂枝

桂枝 （攀桂）晉郄音郤詵音生舉賢良射策為天下第一射策者為難問疑義書之於策量其大小署為甲乙之科列而置之使不彰顯有射者隨其所取得而釋

科第若論[illegible]成就

釋褐 言解釋布褐而服官袍也 [illegible]（宋）朝會要興國二年[illegible]

始賜呂蒙正等釋褐[illegible]狀元[illegible]曰賜

釋褐中第及第曰賜之[illegible]

取青 取青如拾芥耳[illegible]（漢）夏侯勝曰士

病不明經術經術苟明其取青紫如俛

拾地芥耳[illegible]

[illegible]

書言故事〈卷之八〉十四

登第曰躡雲梯[illegible]（杜）[illegible]雲亦有梯[illegible]（謝靈運）

登石門高頂詩共登青雲梯[illegible]

及第手攀仙桂（攀桂）[illegible]（酉陽）

雜俎言月桂高五百丈下有一人常斫之隨創隨合

人姓吳名剛[illegible]學仙有過謫令伐樹（杜）

[illegible]禮闈曾攀桂[illegible]

桂林 （攀桂）晉郤詵舉賢良對策為天下第一[illegible]

[illegible]

之以知優劣射之為言投也對策者顯問以政事經義令各對之而觀其文辭定其高下武帝問卿才何如詵曰猶桂林一枝崑山片玉桂枝崑山猶言上林中之一日陳元老及第詩桃花先透三層浪月桂高攀第一枝

蟾宮 及第之榮比步蟾宮（張衡靈憲序）月者陰宗之精積而為獸象兔陰之類其數偶其後有窮后羿音義請不死之藥於西王母有窮夏諸侯國后義君也其妻嫦娥竊以奔月是為蟾蜍音殊○蟾蜍蝦蟇也月中三足物也抱朴子云壽五千歲頭上有角腹下有丹書八字（古詞送赴省）生上声嫦娥剪就綠羅

袍侍來步蟾宮與換

謝名第 謝衣鉢（摭音只言採拾也）狀元以下到主司宅綴行音杭而立狀元及與以下進士皆各至主司之家列行而立歛名紙通呈人寫已名於紙上狀元歛之通呈主司與主司對拜主事云執事者言請狀元謝名第第幾人謝衣鉢謂與主司名第同者或與主司先人名第同即謝大衣鉢○先人主司父也衣鉢下節又詳之

傳衣鉢 （得心印）（邵氏聞見錄）范質舉進士主文和凝愛其才以第十三登第謂質曰君文宜冠去声多士

愛其才以第十三[illegible]文宜冠[illegible]士

[illegible]石印　[illegible]天開見錄　曾舉進士主文和詩

一詳

與主司先入為第同即謝大於鍊○先入主司下[illegible]文[illegible]

孔謝為第先入謝於鍊與主司為第同[illegible]

[illegible]行而[illegible]與主司對策第一[illegible]

[illegible]謝於鍊[illegible]以下到主司[illegible]

[illegible]詩[illegible]宮[illegible]

[illegible]書[illegible]　卷之八

[illegible]

[illegible]

[illegible]

[illegible]

[illegible]

攀第一枝

[illegible]陳元[illegible]桃花[illegible]三[illegible]

問卿自何如詵對曰猶桂林一枝崑山片玉

[illegible]

(言君文之高宜名第居多人之上)屈居十三者欲君傳老夫衣鉢(傳衣鉢佛家以傳法爲傳衣鉢此借以言名第同如衣鉢之相傳蓋和凝元中十二名故曰欲君傳老夫衣鉢)未幾和入相(去声)後質亦拜相(去声)有詩云。從此廟堂添故事登庸衣鉢亦相(平声)傳(庸用也能順時爲治之人而登用之也)洛中紀異和爲相(去声)封魯公終大傳范亦封魯公終大傳可謂得其心印也

一榜京官

言行錄宋太祖幸西都張齊賢以布衣獻十策(未蒙爵祿曰布衣十策下并汾富民封建敦孝弟舉賢讀賢大學籍田選良吏懲姦謹刑余)未詳(述)語(音遇)太宗曰(語告也。太宗太祖長弟名匡義)我幸西都得一

張齊賢(齊賢字師亮曹州人)異時可收爲相(去声下同○太祖言吾不欲用之他日留與汝作宰相)太宗即位放進士榜欲置之高等而有司偶失掄(音倫)選(掄擇也)置三甲末(甲末黄甲卷末)上不悅及注官有旨一榜與京官通判文定釋揭將作監承通判衡州(文定真宗召齊賢拜平章事卒謚文定將猶以也文定登第釋揭之後以之作監丞通判於衡州)

新郎君

阿(安声)婆三五少(音幼)年時摭(音只)言薛逢厄於宦途(薛逢仕唐巴州刺史)策羸(力爲切)馬赴朝(音潮○羸弱也病也)值(音治)新進士綴行(音杭)而出(值當也)團師所由輦仵令(平声)回

避新郎君團師團兵訓練之官由箪走卒之屬逢遣价語音遇之曰莫乞相去声阿婆三五少音紹年時三五十五歲也也曾東塗西抹來逢言我少年時也曾作進士君阿婆少年時塗抹粧粉也

綠衣郎　直方詩話荆公有詩云王安石字介甫謚荆公却憶金明池上路紅裙争看綠衣郎歐公云歐公歐陽脩字永叔謚文忠公謹厚者亦復為之耶司馬温公同幕於僧舍私幸營妓荆公往追之乃使妓諭坦去荆公集句戲云年去年來、又忙暫偷閑卧老僧房驚回一覔遊仙夢又逐流鶯過何墻故歐公於此言荆公既以詩戲温公乃謹厚者何乃亦復為紅裙之永耶

渴睡漢　歐公詩話呂蒙正薄遊一縣胡旦隨父宰邑客有舉呂詩云挑盡寒燈夢不成胡笑曰乃是一渴睡漢耳呂明年中去声下同甲科寄聲胡曰渴睡漢狀元及第矣。胡曰待我明年第二及第輸君一籌次榜果中首選

英雄入吾彀中　彀音溝摭音只言唐太宗正觀中私幸端門端門之正門見進士綴行音杭而出喜曰天下英雄入吾彀中矣彀張弓引備也彀中猶言落圈套也時人語曰太宗皇帝真長策賺音暫得英雄盡白頭賺猶俗言脫賺謾賺也

三元　解音介省生上声殿皆魁曰三元。元者首也宋朝王

三元 [illegible]曰三元[illegible]也（宋朝）王

真本[illegible]策[illegible]盡[illegible]

[illegible]殿中[illegible]入[illegible]曰太宗皇帝

門[illegible]見進士[illegible]書曰天下未推入

英雄入吾彀中 [illegible]唐太宗正觀中[illegible]

次[illegible]中[illegible]選

狀元及第[illegible]曰[illegible]年第二及第[illegible]一[illegible]

[illegible]明年中科[illegible]曰[illegible]

[illegible]詩云[illegible]不[illegible]曰[illegible]一

[illegible]歐公[illegible]正[illegible]一[illegible]曰[illegible]文[illegible]

[illegible]

[illegible]明[illegible]

[illegible]直方[illegible]公有[illegible]云[illegible]

[illegible]林[illegible]相[illegible]三[illegible]

[illegible]

劉（音爭）自青州發解（發解謂本省鄉闈中也）及南省（即會試也）廷試（御試也）皆首冠（去聲。鄉試會試皆中頭名）劉子儀戲之曰：狀元試三場，一生喫著（張入聲）不盡。公正色。荅曰：曾平生之志不在溫飽。（沂公名曾，後相仁宗）

正奏 及第為正奏名。正奏名第一甲第二甲敕賜進士及第。第三甲第四甲敕賜進士出身。第五甲敕賜同進士出身。第一狀元承事郎，第二榜眼，第三探花文林郎，第四第五人從（去聲）事郎，第六人至第五甲終並迪功郎。

特奏 恩科人為特奏名。特奏名第一等前二名附正奏五甲授迪功郎，餘並登仕郎。第二等京府助教，第三等上州文學，第四等下州文學，並候郊出官（郊祀天也。授官依甲次有等級定制，並候祀天始出為官）。第五等諸州助教，止得敕黃袍笏。

老榜官 恩榜人謂老榜官。狀元董德元，字體仁，吉州人。少（音紹）魁鄉舉（少年之際鄉試中魁名），累（上聲）試禮部不第。後補文學，任（去聲）道州寧遠簿，試漕（音曹），再薦試禮部。合（合入聲）格（試漕，宋運司試戚官子弟為漕），廷對為天下第一（廷對，殿試也）。

[illegible]

補文學任[illegible]道州寧遠[illegible]再薦試禮部會

入[illegible]選鄉舉[illegible]下第後

恩榜入高先榜首狀元董德元字體仁吉州

得教黃超[illegible]

[illegible]

第三等上州文學第四等下州文學並依條出官

奏五甲授迪功郎餘並授任[illegible]京府助教

恩科入為特奏名特奏名第一等前二名附正

五甲賜並迪功郎

探花文林郎第四第五人從[illegible]事郎第六人至第

賜同進士出身第一狀元承事郎第二榜眼第三

士及第三甲第四甲教賜進士出身第五甲教

及第為正奏名正奏名第一甲第二甲賜進

之志不在溫飽[illegible]

試三場一生喫著[illegible]不盡公正色答曰平生

[illegible]劉子儀戲之曰狀元

曾[illegible]自青州發解[illegible]及南省[illegible]廷

遺報家書有詩云御筆題封墨未乾(音干)君恩重(去声)許拜金鑾故鄉若問登科事便是當年老傍官後七十至參政

白髮清衫 僕鯖(音青)録 崇寧初(崇寧宋徽宗年號)徐適(音役)特奏名狀元詩曰白髮清衫晚得官瓊林頓覺酒腸寛平康夜過無人問(平康乃一柳欄巷妓女所居也當時此坊謂之風流藪澤)留得宮花醒(上声)後看

甲科 第一甲及第謂登甲科 前漢蕭望之射策甲科為郎(射策之義詳見此卷後諸科類甲科之下)

羅使(音事) 摭(音只)言 羅玠貞元中及第(貞元唐德宗年號)開宴曲江泛舟玠溺死後有関試前卒者謂之羅使

錯認顏標 摭言 鄭侍郎薫主文疑顏標魯公之後(魯公顏真卿也真卿唐明皇時為山東德州太守值安祿山反真卿起兵討之明皇喜曰朕不識真卿何狀乃能如此鄭薫蓋疑顏標為真卿之子孫也)時未寧志在激昂忠烈即以標為狀元(時未寧天下猶未定也鄭薫之志蓋欲激昂天下之士若魯公之盡忠尽忠者子孫得為狀元以故取顏標中選)謝日閲及廟院(謝日謝名第之日也廟院大臣家有廟而第我房則曰第院)標曰寒進無此(寒進標自謙稱也以其非大臣之後故元廟院)曰始知誤取時嘲(則交切)之曰(嘲言相調也)主司

頭腦大冬烘冬烘或曰昏聩也舊注猶言過於燒熱說不通錯認顏標作

魯公

紅箋名紙

摭言裴思謙狀元及第以紅箋名紙數十詣平康里平康注見此類前白髮青衫之下賦詩曰銀釭音扛斜背解鳴璫銀釭灯也璫充耳珠柳子厚所謂幾時環佩觸鳴璫是也小語低聲問玉郎從此不知蘭麝貴言妓女從此更不知蘭麝之可貴夜来新惹桂枝香及第者為折桂之容言得伴狀元乃惹桂枝之香也

我輩厚顏

登第後謂人曰我輩厚顏唐昌平間昌平幽州縣間字衍文也劉蕡音濆對策詆宦官是時宦官弄權以壞國政故劉蕡之策專詆之其策畧曰云云忠賢无腹心之寄閹寺持廢立之權先君不得正其終陛下不得正其始云云考官馮宿等見劉蕡策歎伏而畏宦官不敢取詔下群論去声囂然李郃音合曰劉蕡下第我輩登科能無厚顏蕡由是不得仕于朝音潮

懷甓擲試官

名臣遺事謝史館泌音足監音間國子舉子宋有玄史二館泌任其間着撰文史以故呼為謝史館至是監試國子監生黜落甚衆其文不逮故多不取而黜落之群言沸揺沸涌動揺懷甓以伺其出甓磚也懷磚伺候謝泌出則擲打之泌知潜由他道投史館避宿數日泌知其欲擲已潜暗於他路詣史館避宿數日不敢由正路也太宗聞之笑曰泌

職在考校豈敢濫收小人不自揣（崔上声）分（去声）反然主司（言其不揣量己之无學識反然主文試官不取己此小人无知之甚者也与禽獸何異哉）

然固須防避（言小人懷甓而謝泌固然必須防避恐遺其傷）又問曰何官騶（音鄒）導雄偉都人歛避（騶導騶從導引今呼頷踏是也）左右奏曰惟臺省（生上声）知雜呵擁難近（知雜御史之職有四知其雜事謂之知雜）遂授知雜以避擲甓之患

丕休中選

楊文公大年為翰林學士適禮部試天下士一日會鄉里待試者或云學士必持文衡幸預有以教之大年乃作色拂衣而入曰丕休哉大年果知貢舉凡程文之用丕休哉皆中（去声）選（大年作色而言丕休哉以示无私曉其機者作文則用丕休哉以故皆中選）而當座中（平声）之客亦半有不以為者（不以為者謂不以丕休哉為文則不中選）

白衣卿相（去声下同）

通典（唐杜佑編）進士科始隋大業（大業煬帝年號）盛於貞觀永徽之際（貞觀唐太宗年號永徽唐高宗年號）縉紳雖位極人臣不由進士者不以為美其推（音吹）重（去声下同）謂之白衣卿相以白衣之士郎卿相之資也重之如此

不在溫飽（見前）

百花魁（宋）王曾音争布衣時以梅花詩獻呂蒙正雪中未問和羹事先向百花頭上開蒙正曰此生已音以安排狀元宰相去声也王曾即此卷前三元之下王曾也

○諸科類

制科 天子自詔制舉曰制科（唐選舉志）所謂制科者其來遠矣自漢以来天子常稱制詔道其所欲而親策之唐制取士之科其天子自詔者曰制舉所以待非常之才焉

甲科（乙科）（射策）（對策）（後漢）順帝暘嘉元年以大學新成謂新建方成就也大學明經下第補弟子增甲乙科員各各千人音義甲科謂作簡策難問列置案上在試者意投射而荅之謂射策上者為甲次者為乙若録政化得失問之謂對策○釋文云射策者為難問疑義書之於策量其大小署為甲乙之科列而置之不使彰顯有射者隨其所取得而釋之以知優劣射之為言投也對策者顯問以政事經義令各對之而觀文辭定其高下○射策之義復詳于此卷前科第類桂枝之下注內

大科 賢良曰大科（賢良方正）（漢）文帝十五年詔舉賢良方正能直言極諫者以匡朕之不逮音侍○匡輔助也逮及也凡士行有不及得直言極諫之人而輔相之

武舉（唐選舉志）武舉起於武后時長安三年始置武

舉武舉試武藝高者中選其制有長垛音墮○東草為之豎立射箭中其上馬射騎馬走而射步射步行而射筒射元朝之袖箭又有馬槍翹音喬關翹關長丈七尺徑三寸半凡十舉后手持關距出處無過一尺負重有力能負重身材体兒長大者之選自上文其制至此通為一句言已上諸般科目之選凡選讀有文選吏部主之武選兵部主之

童子科

太子正字〈唐〉劉晏八歲獻頌行在行在天子所至處曰行在所帝奇其幼帝玄宗也以晏之幼而能獻頌故奇之命宰相去声張說音悅試說曰國瑞也即授太子正字正字秘書官名公卿邀請旁午旁午縱橫也言公卿邀刘晏者縱橫絡繹之多也號神童名震

一時

盡讀秘閣書

〈宋朝〉音潮晏殊七歲善屬音祝文號神童景德初景德真宗年號張知白安撫江西薦之得召試真宗異之以為秘書省生上声正字置之秘閣使得盡讀秘閣書晏殊字同叔撫州臨川人性剛峻范仲淹歐陽脩皆出其門仁宗慶曆中為宰相謚元獻

○恩例類

壁甲

進士引射有壁甲淳熙二年孝宗御射殿引詹晉卿以下一百三十九人射翌日引第五甲及特

晉鄧以下一百三十九人射選已詔立甲乙科

進士 進士引射有甲乙 [illegible] 二年高宗詔射策引試

○見例類

徵之

校閱書 [illegible]

異之 [illegible] 為校書郎 [illegible] 上王宮置之校閱使讀 [illegible]

德元 [illegible] 張知白安撫江西薦之謝召試真宗

崇文閣書 宋朝 謝晏殊十歲善屬文 [illegible] 爲神童薦

一時

遂請賞千 [illegible] 神童名實

試詔試詩賦日國也 [illegible] 太子正字 [illegible] 命宰 [illegible]

帝奇其 [illegible] 正字 [illegible]

童子 太子正字 唐 劉晏八歲獻頌 [illegible] 在 [illegible]

有文選美章主之文選注音主之

科 [illegible] 之選 [illegible] 凡選 [illegible]

開 [illegible] 重 [illegible]

射 [illegible] 造射策 [illegible] 人有馬指 [illegible]

舉 [illegible] 其制有長 [illegible]

奏名射（翼日明日也）正奏名中（去声）的（中的布侯而棲革於中以為的乃侯之中所謂正鵠也）上（音賞）帖（能射中帖者）上垜（音堕○能射中垜者）推恩有差（上帖為難上垜為易蓋垜帖帖是為難故推恩有差等）特奏名五等射合格者與文學

慶壽恩 朝（音潮）野故事淳熙十二年孝宗再行慶壽禮詔舊相（去声）史浩（上声）陳康伯立班正月朔旦上（孝宗）率百官簪花用樂上壽于康壽殿（康壽殿上皇所居）推（音吹）恩各有差

○同年類

姑蘇會 叙同年曰幸同姑蘇之會范石湖撰姑蘇同年會詩序（范石湖名成大字至能宋仁宗時叅大政晚年歸田里号石湖居士）進士科始隋盛於唐本朝（音潮下同）因之偕（音皆同）升者謂之同年唐人曲江大會長安坊市為半空天子至御樓以觀當此時通榜之士意氣相與甚厚否則有青雲紫陌之譏（意氣相与不能甚厚則有青雲紫陌之譏言青雲在天紫陌在地意氣不合者若天地之懸隔）宋朝略去（上声）浮侈但存聞喜一宴（云云）紹興改元（宋高宗年号）建陽袁起岩張元善俱使（音事）浙西始以歲五日會同年之在吳下者於姑蘇之臺賦

詩相屬(音祝)州里傳寫一夕迨遍

接翅(音世) 同年登科曰幸接鸞鳳之翅(曹鄴即席呈同年詩)賢路非青雲十年行不至一旦公道開青雲在平地枕上數聲鼓衡門已(音以)如是白日探得珠不待驪(音离)龍睡(探驪龍珠詳見後第十一卷禽獸譬喻類驪龍珠之下云云) 自疑孤飛鳥得接鸞鳳翅永懷共濟心莫起胡越意(胡在北越在南地之相去極遠其意之所向殊異矣言莫為如此)

○不捷類

孫山外 解(皆去声下同)試不中(去声) 曰在孫山外(遯齋閑覽)

孫山未名得解有同試者託山探得失山曰解名盡處是孫山吾兄更在孫山外山後恩榜成名詩曰(盤古)榜中同進士(伏羲)手裏探花郎(盤古伏羲莫知所從)又云幸賴聖恩收拾了這(音彥)回含笑入黃泉

康了 落榜曰康了(遯齋閑覽)柳冕應(去声)舉多忌謂安樂(音洛)為安康榜出令(平声)僕探名報曰秀才康了(言不中榜得免為官而死事此回安康了矣)

操眊矂 (眊音冒矂驗去声)落榜而縱飲食謂操眊矂(李肇國史補)(國史補書名唐李肇著) 進士籍而入選謂之春闈不捷

而醉飽謂之操眊矂不捷不勝也言李問不勝也眊矂目蒙不明也匿名

造謗曰無名子退而肄音異業曰過夏肄習也

紅勒帛 朱抹試卷為紅勒帛（筆談）宋沈存中著劉幾音基程試累音呂為第一驟為怪險之語翕然成風成風者人皆效之而成風化也歐公深惡音汙之歐公歐陽脩也有舉人論去声曰天地軋音押○軋者史記其氣決軋應紹曰非有限齐萬物茁側滑切○茁者生而壯盛也聖人發天地既軋而物茁則聖人發焉發猶起也舒也明也奔也揚也公曰此必劉幾戲續曰秀才剌闌入声○剌戾也僻也試官刷山入声○刷拭也一大朱筆横抹之謂紅勒帛後數年公為御

試考官試堯舜性仁賦性仁賦警聯云故得靜以延年獨高五帝之壽動而有勇刑為四罪之誅歐公大稱賞（釋注）靜以延年讚堯也動而有勇讚舜也四罪四凶也舜佐堯退之少皞氏有不才子曰窮奇是為共工流之于幽州乃北裔也帝鴻氏有不才子曰渾敦是為驩兠放之于崇山乃南裔也顓頊有不才子曰檮杌是為鯀殛之于羽山乃東裔也黄帝臣縉雲氏有不才子曰饕餮是為三苗殺之于三危乃西裔也及唱名第一乃劉幾易音亦名煇音輝○其年主司夢火山軍作狀元公愕然久之愕驚也

點額 下第曰點額（三秦記）龍門注見前魚登者化為龍不登者點額暴音僕腮暴腮傷也（李白詩）點額不成龍

花樣不同 時文別格謂花樣不同（盧氏雜說）盧仝音同

【花樣不同】猶文句格調花樣不同。盧仝雜詩盧仝同吉

不登者點額暴（僕音）腮（思音）也。李白詩：點額不成龍

【點額】下第曰點額。三秦記：龍門（前注見）魚登者化為龍

亦言石渾音火棒山○軍其孫年朱王元曰公帰渡又之也揺讀

敷不之子三日竟貸晃乃曰丈三苗及呂為第一乃劉蒙叟

是光為陰之乃于山也有東商也黃帝曰臣吉語曰大講有乳

豐幽州之步乃南方有日至不清有曰其詩之者大彈子

罪之歐事公判大為罪四賞年之注釋讀辭以延手揣端立聽之故

論有甘言叡奇藝誕性仁厚延年仁端誌善帝言動語和以

也祠故一大宋筆撰林之謂狂勢曰發數年公為御

次劉蒙賦讀曰秀才刺圖也入有者也○劉式官府方山○入

也聖人發歟天道也乳也物而也聖入也歟也之公曰山

地乾乳祥○蒸乾日者非且立萬物君者論也○進遙走

風之化而也歟國公孫過吉之入歟有舉人論者之曰天

許累音為第一聯為孫險之語論孫成風劉幾之音沖

【紅勒帛】宋林敘卷為紅勒帛（筆跡）中宋存劉幾其音韓

迸誇曰與不手其處而辨者集曰過真也詩音

而醉題之據所聯也據不聯日言不李問也不國為

下第出都投逆旅（逆旅客店也）有一人附火吟曰學織錦綾工未多乱投機杼（杼音佇）錯抛梭（杼機之持緯者）若教（音又）宮錦行（行音杭下同）家見把似文章笑殺他因問之（句）云舊隷宮錦坊近以薄枝投本行云如今花樣不同且東歸也

倒繃孩兒（繃音崩）戲老作不中（中去声下同）曰倒繃孩兒東軒録 苗振第四人及第召試館職（試館戢宋制入館閣者必先召試試中然後除官）晏相（去声）曰宜稍温習熟（句）曰（振答）豈有三十年老嬢而倒繃孩兒者乎既試果不中（試罷宮撰士賦有王字振曰率士之濱莫非王由是不中）公笑曰苗君果倒繃孩兒矣

過暇還迷日五色言考選難明李鷹（宅買反又柴上声）字方叔為東坡客坡知貢舉方叔下第坡送之詩云平生浪說古戰場（李華文辝綺麗少宏傑氣肖隱士健奭自肆而華自疑過之他日華作弔古戰場文極思方成汙為故紙与穎士讀之華問今日誰可及穎士曰君加精思便能至矣華愕然而服○方叔既不中東坡引此言作文似李華極思而未嘗不中也）過暇還迷日五色（李程貞元中試日五色程初出試場楊於陵詢所作程示之破題云德動天鑒祥開日華於陵曰公今須作狀元翌日无之於陵不平乃於冊子末繕寫而隱其名氏以謁主文主文嘆賞不已於陵曰場中作此賦侍郎何以待之主文云非狀元不可於陵曰為如此侍郎已遺賢矣此乃李

程所作遂命取程所納卷對之不差一字主文因謂之於陵擢為狀元○東坡言方叔下第非文低實我失於考選若日五色之迷眼矣【釋注】於陵之於音烏

日五色賦【唐】李程試日五色賦破題云德動天監（監視）也祥開日華擢為狀元後浩虛舟應（去声）宏詞復試此題程虞浩愈於已（音紀○虞料量也李程慮浩勝於已）馳价取本觀破題云麗日焜煌中含瑞光程喜曰李程在裏（在裏言我之文在其中得乎中之道也浩之文尚在其外也）

二十老明經【摭（音只）言】進士科始於隋盛於唐其推（音次）重（去声）謂之白衣卿相（去声）又曰一品白衫（言一品之官乃白衣之人為之）其不利者謂之二十年老明經五十少（音紹）進士

文星暗言人下第而歸曰無怙文星暗【唐】大中間（大中唐宣宗年号）天官奏云（天官司天官也）文星暗科場當有事後經三科盡覆試復落考官皆罰俸

賺了英雄（賺音湛）言人下第曰賺了英雄【國史補】唐制進士科甚重（去声）其老死文場者亦無恨故為詩云太宗皇帝真長策賺了英雄盡白頭

大才晚成言人科第暫淹曰大才晚成（出本傳）【老子】大

器晚成。（漢）馬援兄況謂援曰：汝大才，當晚成。

傍門户飛 下第歸投人，曰傍門户飛。（唐）元和中（元和憲宗年號），士人下第，多為詩刺（音次）試官。獨章孝標作歸燕詩上（音賞）庾承宣侍郎曰：舊壘危巢泥已（音以）落，今年故向社前歸。連雲大廈無棲處，更傍誰家門户飛。

○聘君類

三聘 賀人赴召云：榮膺三聘之寵（膺親也）。（孟子）（萬章上）伊尹耕於有莘（音辛）之野（莘國名，趙氏曰今同州郃陽縣），湯三使往聘之（聘問也，訪也。湯使人以幣聘於伊尹，伊尹囂囂然，无欲自得之貌，曰：我何以湯之聘幣為哉？我豈若處畎畝之中，由是以樂堯舜之道哉？誦堯舜之詩，讀堯舜之書，而欣慕愛之也。湯三使往聘之，於是伊尹曰：吾樂堯舜之道，使是君為堯舜之君，使是民為堯舜之民，吾身親見之哉？既見湯，湯使佐桀，桀不能迁善。伊尹返覆者五，就湯五，就桀，桀終不改。伊尹遂相湯伐桀）。

安車（車音居） 榮赴安車之迎。（蒲輪）（安車蒲輪之義，已見前第二卷耆老類安車之下）。（前漢）四皓隱於商山（皓白也，四人皆頭白，故名四皓。東園公姓唐，字宣明，居園中；夏黃公姓崔，名廣，居夏里；角里先生姓周，名術，居角里；綺里季无法，不敢強為之說）。惠帝為太子時，卑辞蒲輪迎以為客（惠帝，高祖太子也。高祖欲廢惠帝而立戚姬子如意以即位，郡臣極諍之，高祖堅不听。惠帝母呂后強要張良畫計，良曰：今者難以口舌爭。顧上所重者四皓也，四皓隱於商山，上不得見。今令太子修書，安車迎之，令四皓偷堂，令隨太

子出入於朝令上見之或是一助四皓既至隨太子高祖見之意乃解遂立惠帝又武帝遣使（音事）者安車蒲輪束帛加璧以迎魯申公（此一節已見前第一卷耆老類安車之下）

除書到門 除書將到門矣韋應物初為尚（音常）書郎（句）別集福精舍詩云簡略非世器委身同草木。逍遥精舍居。飲水自為足（云云）明世方選士。中朝（音潮）懸美祿除書忽到門冠帶便拘束愧忝郎署迹繆（迷又切）蒙君子錄（云云）

○薦舉類

桃李 李作狄門之桃李（唐）武后問狄仁傑。朕欲得一佳（音皆）士用之誰可者仁傑曰張柬（音簡）之雖老宰相（去声下同）才也。卒用為相又嘗薦夏官侍郎姚崇（夏官今兵部是也）監察御史桓彥範太平州刺史敬暉數人率為名臣或謂仁傑曰。天下桃李盡在公門。（公稱仁傑也）仁傑曰。薦賢為（去声下同）國非為私也

藥籠中物 得備藥籠中物元行冲謂狄仁傑曰。下之事上譬之富家貯積以自資也。脯（音甫）腊（音昔）膎（音鞋）膴（音夷）以供滋膳（乾肉薄析曰脯小物全乾曰腊膎者脯也韵書肉食肴又鱅蓄食味曰膴）

又膾魚也膾者夾春肉言富者常以此四等供滋於膳食也參（人參）朮（蒼朮）芝（紫芝）桂（肉桂）以防病（言富家常存此四藥以療病也）門下充為味者多矣顧以小人充備一藥石。仁傑笑曰。君正吾藥籠中物不可一日無

道側奇寶 升薦曰毋（音无）棄道側之奇寶韓愈薦樊宗師於袁滋相（去声）公書曰。誠不忍奇寶橫棄道側（袁滋鎮襄陽後鎮荊南不知此書的在何時也愈言宗師孝友聰明家故饒財身居長嫡悉推与諸弟諸弟皆優贍有餘而宗師妻子常寒露肌宗師怡然処之无有難色窮究經史章通句解云云）

向陽花木 幸作向陽花木范文正公知杭州蘇麟為屬縣巡檢（屬縣杭州所屬諸管之縣）城中兵官往往皆獲薦書。獨麟在外邑未見收録因公事入府獻詩曰近水樓臺先得月向陽花木易（音意）為春文正薦之

○賣爵類

納粟 買官曰納粟進納漢晁（音潮）錯（音助）策重（去声）粟之道在於以粟為賞罰令（去声）募天下入粟縣官（句）拜爵得以除罪（句）如此富人有爵農人有錢粟有所渫（音薛○渫散也）○文帝從其言

武功爵級 前漢食貨（音代）志武帝時大司農陳經用既

竭不足以奉戰士有司請令（平声）民得買爵置賞官名曰武功爵級十七萬凡直三十餘萬金（通鑑）元朔六年六月詔令民得買爵及贖禁錮免贓罪置賞官名曰武功爵級十七萬凡直三十餘萬金○級十七萬茂陵書一曰造士二曰閑輿衛三曰良士四曰元戎五曰官首六曰秉鐸七曰千夫八曰条卿九曰執戎十曰庶長十一曰軍衛其六級則亡之矣

鬻爵（上音育）朝廷賣官曰鬻爵（銅臭）（後漢）靈帝開鴻都門賣官爵公卿州郡下至黃綬各有差（音釵○差不齊也買官爵者入錢有多少官位有大小故曰有差等差等詳見下節）崔烈入錢五百萬為司徒（前漢哀帝元壽二年罷丞相置大司徒）議者嫌其銅臭（崔烈既為司徒問其子鈞曰吾居三公於義何如鈞曰大人少英稱歷位卿守論者謂不當為三公而今登其位天下失望烈曰何謂然也鈞曰論者嫌其銅臭）

黃綬（董巴輿服志）九卿中（去声）二千石青綰（音瓜）綬（綰綬青紫色也）二千石青綬千石六百石黑綬四百丞尉三百長（音掌）相（去声）二百皆黃綬（中二千石詳見後第九卷郡守類五馬之下）

○仕進類

筮仕（上音世）初作官曰筮仕（左）（閔公元年）畢萬筮仕於晉（筮卜也其義詳見前第四卷地理類青囊經之下○畢萬魏犨祖父也是歲晉獻公自將上軍使太子申生將下軍畢萬為獻公右戎滅耿滅霍滅魏遂以魏國之地賜畢萬使畢萬食魏之祿以為晉釋犨）

益士

黃鬃

○

音抽牒大夫。於是畢萬將仕於晋而遇屯 張倫切 ○震下
牒者以占其吉凶注音設者音尸
坎上。屯 ䷂ 水雷之比 此至切 ○坤下坎上比 此正卦屯也之卦蓋屯初九變而為比
也 ䷇ 水地比也 辛廖 音聊 占之 辛廖晋大夫占其卦 曰吉 此吉卦也

試吏 初作官曰試吏 漢高紀 試用補吏

一行作吏 初作官曰一行作吏 選 嵇 音奚 叔夜與山巨源絕交書云 山巨源名濤晋武時吏部尚書舉嵇康自代康與濤書告切 遊山澤觀魚鳥心甚樂 音洛 之 山有鳥澤有魚觀之真可樂 一行作吏此事便廢

要路 作好官曰登要路

仕路 作官曰在仕路 仕途 宦途 杜贈韋左丞 云云 立登要路津 立使登進清要仕路

當路 得高位知遇曰見知當路 孟子 公孫丑上 公孫丑曰 公孫丑孟子弟子齊人也 夫子當路於齊 公孫丑稱孟子也當路居要地也 管仲晏子之功可復許乎 管仲齊大夫名夷吾相桓公霸諸侯晏子齊大夫名嬰字平仲相景公名顯諸侯三十年二子之功如此許猶期也孟子未嘗得政丑蓋設辭以問言夫子若得政於齊則管晏之功可復期望乎於是孟子荅丑言子誠齊人知齊國有二子而已不復知有聖賢之事蓋孟子之意言我若似二子之得其君則佐其君以行王道何以霸為

自此升矣 賀人仕進曰自此升矣 後漢 楊震好 音号 斈

宜此仕矣 賢入仕進曰宜此仕矣(後漢楊震)好音

子之知得有其聖賢則從其盡以行王道何以霸為二 顧孟子答孟子亦言于於誠齊則入宮知齊之圖功有可復二子期以已而望於不
是孟子於齊且得其以知晏子言之得功夫 言夫如孟子此許得平期仲相景公未名顯諸公

管仲晏子之功可復許乎

夫子當路於齊(公孫丑)孟子曰子誠齊人也知管仲晏子而已矣

當路 得高位知遇曰見知當路(孟子)

要路津 清要仕路 立便登進

仕路 作官曰在仕路(仕途 宦途 杜甫)韋左丞 立登

要路 作好官曰登要路

此事便廢

澤畔鑑魚鳥心甚樂之其可樂一行作吏

源絕交書云 山巨源 嵇康與山巨源書 遊山澤觀魚鳥心甚樂之

一行作吏 初作官曰一行作吏(選)嵇康與山巨源

試吏 初作官曰試吏(漢高紀)

比水地辛廖占之比卦曰吉

補試吏用 夫辛廖其晉大夫 卦其 九變為比 初九下坤

也 此坎上坤下 水地比 ○ 坤震下坎上 比

雖音 相畢萬將仕於晉 其占大 吉 其後必昌 遇屯 抵 仕

明経有雀銜三鱣音善魚集講堂鱣與鱓通魚似蛇黄與黒文即今鱔魚是也都講進曰都講敎授回進而言曰鱣者卿大夫之象数三者法三台也先生自此升矣後為太尉太尉司徒司空為三公

赴調 **美調**

去声參部註差為赴調優調別差曰優調賀得好差榮膺美調漢文帝時張釋之為騎去声郎十年不得調調選也欲免歸釋之以久不得調選故欲免其官而歸晁音潮錯音助知其賢而薦之為謁者僕射音夜

待除

称呼待差曰待除

美除

賀得好差榮被美除任平声廣曰正授曰正除

瓜期

賀赴任去声曰榮赴瓜期詳下節

及瓜

任去声滿曰及瓜左莊公八年齊侯襄公使連稱去声管至父音甫戍音庶葵丘連稱管至父皆齊大夫戍守也襄公使之戍守葵丘之齊地瓜時而往瓜熟之時使之而往曰襄公與之約曰及瓜而代代替換也侯明年瓜熟使人代汝

下車

下遐上声車音居初到任去声曰下車之初後漢劉寵為會音繪稽音推守桓帝時寵為太守會稽大治召為将作大匠領營造之宫山陰縣五六老叟人齎百錢送寵人着人人也各齎百錢

明經有道術三[illegible]集講堂[illegible]

也。魚是都講進曰[illegible]鱣者卿大夫之象。數[illegible]

三者法三台也，先生自此升矣。後為太尉[illegible]

公為三

[illegible]

[illegible]欲令部主善為之[illegible]（漢[illegible]）[illegible]善曰[illegible]

賓得好善常願美[illegible]（漢文帝時[illegible]）[illegible]

即十年不得[illegible]欲[illegible]以其[illegible]

昊[illegible]知其賢而薦之為謁者僕射[illegible]

[illegible]

[illegible]曰待除

書[illegible] 故事 卷之八 二十四

[illegible]

賀得好善常[illegible]美除[illegible]廣曰正從曰正除

賀赴任曰榮赴任期[illegible]

父任去[illegible]曰及乃（左）[illegible]齊侯[illegible]便連[illegible]至

[illegible]成[illegible]丘[illegible]

[illegible]而往[illegible]曰[illegible]及[illegible]

伏惟[illegible]入

下車

會稽[illegible]守[illegible]初到任[illegible]曰下車之初（後漢劉寵）[illegible]

山陰縣五六老叟人齎百錢送寵[illegible]

曰老叟言明府下車以來明府称刘寵也狗不夜吠无賊盜也民
不見吏言民間无事吏不下鄉今聞當見棄去故自扶送【唐】
李白為馬昌宰去思碑云去後民思其思而立碑云未下車人
懼之既下車人悅之人者人也
【書考】賀在任去声官書考榮書上考【書】舜典篇名三載災上
声考績音積。三年有成故以考功。三年之後考尔之功三考黜陟音只幽
明黜退也陟升也至於三考九年升陟有功者以顯明其功退黜无功者於幽隱之地使不得顯
揚也
【增秩】音赤朝音潮廷賞良吏加祿數曰增秩吏仕宦者之總名也若今

總言官是也秩積也品也【前漢】循吏傳去声序宣帝曰太守吏民
之本數音數變易音亦則下不安民知其將久不可欺
罔乃服從其教化故二千石有治音持理效輒音折以
璽書勉厲增秩賜金輒專也專以璽書勉厉使之勤政增其品秩賜之金而不
易其守
【解龜】任去声滿曰解龜美替龜者印有龜紐即鼻也任滿者解印則曰解龜任既
滿後官替代故曰美替【解篆】美任解篆來歸印之字乃篆文解印則曰解篆
【解組】解綬音弟組綬皆綬也【梁】陸倕音垂為太守曰謬叨
龜組謬誤也叨叨濫也龜組即鼻也此陸倕自謙言已不称太守之職而誤叨濫於龜組也

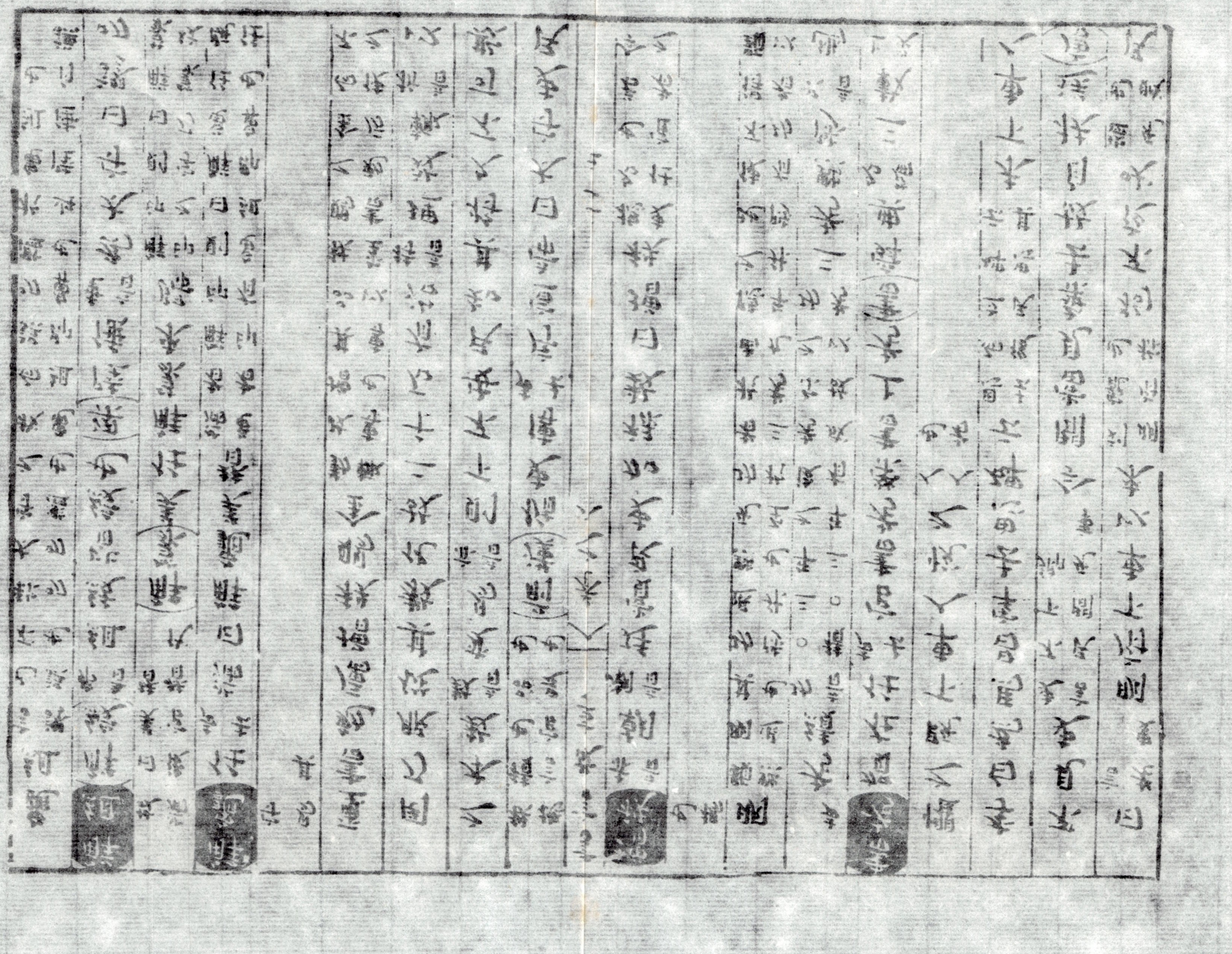

晋陶淵明為彭澤令去声解印去縣賦歸去來辭淵明
解印詳見前第五卷身体說類為米揮腰之下
報政任去声蒲解龜報政史記伯禽受封之魯伯禽周公子也
之性也三年然後報政周公曰何遲也伯禽曰變其
俗革其禮喪三年而後除之故遲太公封於齊太公
姓姜釣於周遇文王尊為師佐武王伐紂以是之功而封於齊五月而報政周公
曰何速也曰吾簡其君臣禮讀從其俗也故速
攀轅餞去任去声當攀轅臥轍轍車行迹也漢侯霸為臨淮
太守。被召百姓攀轅臥轍願留朞年

截鐙截鐙留鞭唐姚崇受代日民吏泣擁馬首截鐙
留鞭

○敘同官類

同僚敘同官曰辱在同僚左文公七年晋先蔑奔秦晋襄公卒
灵公少趙孟曰立公子雍〻文公子杜祈所生當時雍仕於秦使先蔑迎雍秦康公送公子雍于晋
灵公母穆嬴抱灵公帝子朝曰先君何罪其嗣亦何罪捨嫡嗣不立而外求君將置此子於何地也
夫人既帝于朝而出又抱太子以往宣子之家宣子与諸大夫皆患穆嬴乃背先蔑而立灵公以禦
秦師敗秦師于令狐之地先蔑遂奔于秦士會從之士會同迎公子雍亦同奔秦也先
蔑之使音事也去年先蔑使秦迎公子雍之時荀林父音甫止之曰荀林

父中行子也止先蔑使勿往謂穆嬴与灵公皆在不立太子而迎公子雍以其事必不進女何不辞以疾但使大夫往可也何必使汝親行哉**同官為僚**僖公二十八年晋侯作三行荀林甫将中行先蔑将左行故云同官為僚寀也**吾嘗同僚**我曾与汝同僚**敢不盡心乎**既為同官敢不尽心以告汝乎(詩)生民板之篇**我雖異事**異事不及可耻也**爾同僚**同僚同為王臣也

同寅音移**幸獲同僚故也**(書)臯陶謨篇**同寅協恭和衷**中同**哉**寅敬也言君臣當同其寅畏協其恭誠一无間融會流通而民彝物則各得其正所謂和衷也

落落晨星言同年者或存或亡也同其年中傍謂之同年(劉禹錫)送張盥音管赴舉序**吾不幸向所謂同年友當其**

盛時連轡舉鑣音標○鑣馬銜外鉄**亘**音更**絕九衢若屏風然**亘延衺也四達謂之衢九衢言同年友極多而充滿九衢故若屏風**樂天詩**歸騎紛紛滿**今来落落如晨星之相望**早晨之星或有存者或有沒者人之存亡亦猶是也

○清廉類

臣心如水稱仕宦清廉曰臣心如水(前漢)**成帝時鄭崇為尚**音常**書好**音号**直諫貴戚多譖之**貴戚皇親也譖毀也**上**成帝**責崇曰君門如市人**如市人言請求者多交通賓客**何以欲禁切主上**禁切諫止也主上成帝自謂也責言鄭崇之門賓客請求者甚多何乃禁切於主上也**崇對曰臣門如市臣心如水**心如水之平如水之淡廉潔而无私

[illegible]同官爲僚[illegible]

乎[illegible]吾嘗同僚[illegible]

爾同僚[illegible]

同寅

[illegible]同寅協恭和衷[illegible]（書）

落落晨星

[illegible]同年[illegible]

鄉設盟[illegible]吾不幸向所謂同年友當其[illegible]

盛時運華[illegible]

落落如晨星之相望[illegible]

[illegible]旦[illegible]

○清廉類

臣心如水

崇[illegible]直諫貴戚[illegible]上

[illegible]書[illegible]責崇曰君門如市人何以欲禁[illegible]

[illegible]主上崇對曰臣門如市臣心如水[illegible]也

也

廉能 清而有政事曰廉能（周禮）天官〔吏部官〕以聽官府之六計〔讀〕弊群吏之治〔云云〕二曰廉能〔听平治也平治官計有六事弊断也既断以六事又以廉為本廉儉也一曰廉善々其事有辞會也二曰廉能政令行也三曰廉敬不懈于位也四曰廉政行无偏邪也五曰廉法守法不失也六曰廉辨々然不疑惑也〕

清白傳家 世守公廉曰清白傳家〔世者世々也〕（後漢）楊震性公廉〔安帝時震為太尉〕子孫蔬食〔音寺〕步行或欲令〔平声〕開產業震曰使後世稱為清白吏子孫以此遺〔音謂〕之不亦厚乎〔遺贈也以清白遺之於子孫不亦重厚乎〕

冰壺 奬人清者冰壺玉鑑之下（杜詩）冰壺玉鑑懸清秋〔詳見下文〕姚元崇作冰壺誡〔元崇字元之相唐玄崇謚文献〕冰壺者清潔之至也夫〔音扶〕洞徹無瑕澄空見底當官明白者有類乎是〔當官為官也當官者能清潔則有類於氷士理也〕

震畏四知 私無所取曰震畏四知（漢）楊震為東萊太守道過昌邑故人王密懷金千斤以遺〔音謂〕震〔密為昌邑令震所舉密於是懷金以謝之〕震曰故人知君〔故人震自謂也君震稱密也言我知君有才而薦之為令〕君不知故人何也〔震言我性公廉无私君不知何也〕密曰暮夜無知者震曰天知神知我知子知何謂無知密

愧而去

胡椒八百斛 自此以下係貪汙 （唐）元載受賄後事敗及後因貪汙之事敗而有司籍其家有司縣官也籍者凡罪人家才書其名物於籍而受入于官今謂之抄籍也鍾乳五百兩鍾乳石有三種乳竹乳矛山乳胡椒八百斛十斗曰斛但記鍾乳胡椒之貴者其數如許他物不可勝紀

簠簋不飾 簠簋音甫癸謂貪汙音烏曰簠簋不飾（賈誼策）古者大臣有坐不廉而廢者古之大夫有因貪汙不清廉而見黜者不謂不廉不言其貪汙不廉而黜之則曰簠簋不飾外方內負曰簠內方外負曰簋皆有盖象龜形盖宗廟盛黍稷稻粱之礼器

〇致仕類

致事致政記 曲禮上篇大夫七十而致事致其所掌之事於君而告老也若不得謝謝者致仕之謂也不得謝謂君不許其致事也則必賜之几杖凡者憑之以安其体杖者扶之以助其力君不許其致事則以封賜之矣王制記篇名七十致政

引年 賀致仕引年抗牘得謝掛冠牘簡牘也古无紙書於簡牘上疏以辞官乞身以歸得謝免掛冠王制凡三王養老皆引年三王夏商周也夏后氏燕衣而養老燕衣黑衣也燕則安而不危有人直馬鼓人縞衣而養老縞生縞亦名素此縞衣則謂白布深衣也純素而无所受質之黎也周人玄衣而養老玄衣亦朝服也緇衣素裳拔夏氏

尚黑衣裳皆黑殷尚白衣裳皆白周兼用之故玄衣而素裳而有所雜文之象也引年四海之內老者衆矣安得人人而養之待國老及庶人老者之亂畢則行引户校年之令而恩賜其老者焉○注有爵有德之老而尊故待之於大學謂之上庠在西郊（庶老）庶人及死事者之父祖也而卑故待之於小學謂之下庠在國中五宮之東

乞骸骨 乞致仕曰乞骸骨（漢）宣帝朝音朝丞相去声韋賢以老病乞骸骨賜黃金百斤安車駟馬罷就第第者漢有甲乙次第之居故云罷相而就第○安車丞駟馬已見前第二卷耆老類安車蒲輪之下相致仕自賢始

掛冠（東漢）逢音旁萌王莽殺其子莽殺自己之子王字非殺逢萌之子萌謂友人曰三綱絕矣三綱謂君為臣綱夫為妻綱皆當尽其恩義莽殺其子是父子无恩故曰三綱絕矣不去禍將及人言莽於子尚不能愛而殺之尚有恩及於人乎今也若不早去禍及於人矣

白衣尚書 白衣尚書𣍐耀閭里鄭均為尚書鄭均字仲虞仕漢數進忠言者以病乞骸骨。拜議郎敕賜尚書祿以終身號為白衣尚書

大議每咨 咨許謀也大議每咨朝音潮廷方所倚毗毗輔也大臣雖致仕朝廷所倚其輔政也董仲舒病致仕仲舒前漢武帝時為江都相朝廷每有大議數音朔遣廷尉張湯親至陋巷問其得失

家有大義教[illegible]遺[illegible]至[illegible]問[illegible]

大義 [illegible]董仲[illegible]大義[illegible]朝[illegible]

[illegible]白本尚書

[illegible]以爲己職[illegible]尚書[illegible]

白文尚書 白本尚書[illegible]問[illegible]尚書[illegible]

[illegible]人曰三綱[illegible]

明經 東漢[illegible]王[illegible]

相教仕自[illegible]

[illegible]

以[illegible]黃金百[illegible]

一經 [illegible]日[illegible]宣帝[illegible]

[illegible]

廷尉決囚徵之官於是作春秋決獄三百三十一事動以
經對經對者引六經之辭義以對

從赤松子遊（漢）張良曰張良佐漢高祖滅秦定天下於是謝病靜居行氣以奈道故為下文之言以辭朝臣家世相去声韓世者世〻也蓋張良以五世為韓相韓亡韓為秦所滅不愛萬金之產。為去声韓報仇強秦韓既亡。臣不愛萬金之產為韓報仇故佐陛下以滅強秦今以三寸舌為帝王師。封萬戶侯此布衣之極於良足矣高祖封功臣使良自擇齊地三萬戶良曰臣始與陛下遇於留此天以臣授陛下封留足矣遂封為留侯言此乃布衣常人之極至張良足矣願棄人間從赤松子遊赤松子神農時雨師入火不燒隨風雨上下。

張良得黃石公素書云絕嗜禁欲所以除累張良用之故從赤松子即導引不食穀導引行氣也

○黜責類

書空咄咄敦入声怪事（晉）殷浩被黜孝宗時殷浩連年北伐无功又敗軍於山桑桓溫請廢浩免為庶人談詠不輟專入声輟止也○雖家人不見其有流放之感但終日書空作咄咄怪事四字而已音以○書空書寫於空中也咄〻嗟嘆也○殷浩才名冠世時人以浩有管仲諸葛亮之才

飽喫惠州飯山谷跋東坡和去声下同陶淵明詩云子瞻謫海南蘇軾字子瞻宋哲宗時與程頤同在經筵軾喜戲謔頤以禮法自持軾每朝從之云云

而心猶不清不欲而隱於市塵不能免禍而致敗是乃居平地無水而沉也

○任子類

父任 去声 受父官蔭曰父任(前漢)張安世以父任為郎 大臣得舉其子弟為父所保任故得為郎

蔭補 祖父官蔭子孫曰蔭補(唐)李德裕大和相 去声 和文宗年号德裕為相 吉甫子 德裕乃李吉甫之子 卓犖 音洛 有大節 ○大卓犖超絕也夫德裕超絕而有大節操 不喜與諸生試 不與諸生同往赴試 有司以蔭補校書郎

蔭上子官 (宋)盧多遜為相 去声 子雍起家 自家起身 即授水

詩云一去一萬里千知千不還崖州在何處生渡鬼門關 唐文宗時德裕與宗閔互相擠援德裕遂遭貶至武宗立召德裕為相德裕言於武宗曰正人指邪人為邪ゝ人亦指正人為邪在人主辨之

○不調類

數奇 音羈 古懷切 命乖曰數奇(李廣傳) 去声 李廣數奇不得封侯 數命數也奇虧也孟康曰隻不偶也夫李廣以命數之虧故不得侯 (王維詩)李廣無功緣數奇 標題云奇者單也不偶遇也

陸沉 言仕宦不超陸沉下僚(莊)方且與世違而心不屑 屑清也敬也 與之俱是陸沉者也 行路無水而沉也言人雖與世相違也

而心猶不清不欲而隱於市廛不能免禍而致敗是乃居平地无水而溺也

○任子類

【父任】去声受父官蔭曰父任（前漢）張安世以父任為郎大臣得举其子弟為父所保任故得為郎

【蔭補】祖父官蔭子孫曰蔭補（唐）李德裕大和相去声○大和文宗年号德裕為相吉甫子德裕乃李吉甫之子卓犖音洛有大節卓犖超絶也夫德裕超絶而有大節操不喜與諸生試不與諸生同往赴試有司以蔭補校書郎

【蔭止京官】（宋）盧多遜為相去声子雍起家自家起身即授水部負外郎後遂為常呂蒙正奏曰臣忝甲科及第釋褐釋褐詳見前釋褐之下○宋太宗時蒙正為相止受九品京官況天下才能老於巖穴不能霑寸祿者多矣今臣男始離襁姜上声褓音保○繦織縷為之以約小兒於背着褓小兒衣一曰小兒被也蒙正言其子始离此年尚幼也膺此寵命蒙正時為相照例亦以其子為負外郎蒙正言其子始离襁褓遽然膺此寵命不敢當也故為下文之辞乞以臣舊日及第時所受官補之自是止授九品京官

【恩澤】蔭子孫官曰恩澤（宋）晏殊未嘗為去声子弟請求恩澤晏殊雖為相不為子弟求恩澤依例授官○與此卷前諸科類尽讀秘閣書之下通看

雖上屢(音慮)問(上屢次問其子弟欲恩賜之以官爵)但表聞起居而已(上表奏聞問上起居之安而已而不言其子弟也)

○命婦類

國夫人　郡夫人　大夫人　縣君　郡君　大君　通典宋鄯(音婁)侯孟懷王母拜國夫人　隋高涼女子冼(音銑)氏世為南越首領(世者世世也)有功冊為高涼郡夫人既而冊譙國大夫人(高涼今廣西高州也冼氏高涼馮融子盎孫宝世世為高涼太守盎娶冼氏五州僚媛盎擊平之冼氏有功謚灵順誠敬夫人有庙)婦人之封始齊侯與女子石窌(音留)也(魯成公二年齊項公與晉人戰于鞍齊師大敗項公自徐關入于國項公單還女子不避項公使之迴避女子問曰居免乎荅曰齊君免矣女子又問銳司徒免乎司徒之執銳者荅曰司徒免矣女子乃言齊師既敗苟吞侯與吾父免矣餘人可不復如何女子乃走避項公項公以其先問君後問父為有礼既而問此女子為誰乃知為辟司徒妻也遂與之以石窌之邑)其後前漢武帝封太后微時金王孫家所生女號脩城縣君此又縣君之號(太后微時王太后微時為金王孫婦生一女乃入宮景帝廢栗姬而立之生武帝)唐制四品妻為郡君五品為縣君其母邑號皆加大君之稱

命婦七階　淑人碩人令人恭人宜人安人孺人

金花誥　婦人誥謂金花誥春明退朝(音潮)錄官誥院敕

郡夫人使金花羅紙七張綿縧袋賜以湯沐邑（湯沐邑謂以其賦稅供其湯沐之具）乃奉親之榮也

書言故事大全卷之八　終